Published by
CHESTER MUSIC LIMITED
14-15 Berners Street, London W1T 3LJ, UK.

Exclusive Distributors
Music Sales Limited
Distribution Centre, Newmarket Road, Bury St Edmunds, Suffolk IP33 3YB, UK.
Music Sales Corporation
257 Park Avenue South, New York, NY10010, United States of America.
Music Sales Pty Limited
120 Rothschild Avenue, Rosebery, NSW 2018, Australia.

Order No. CH71005
ISBN 1-84609-435-6
This book © Copyright 2006 by Chester Music Limited.

Music processed by Paul Ewers Music Design.
Designed and art directed by Michael Bell Design.
Illustrated by Angela Dundee.
Printed in the United Kingdom.

The Classical Voice

Performance pieces for Male Singers

CHESTER MUSIC
part of The Music Sales Group
London / New York / Paris / Sydney / Copenhagen / Berlin / Madrid / Tokyo

Ah, How Pleasant!

Music by Henry Purcell

1. Ah! how plea-sant 'tis to love, ev - e-ry mo - ment
2. Some do make a god of plea - sure, oth - ers wor - ship

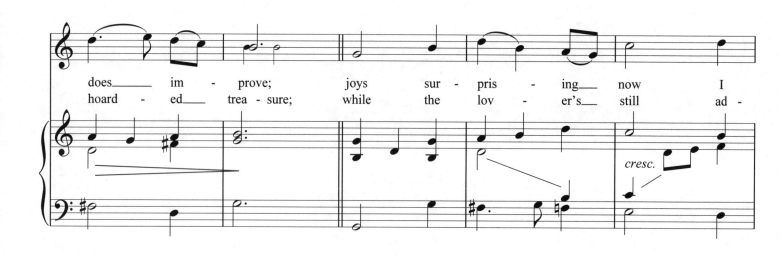

does____ im - prove; joys sur - pris - ing____ now I
hoard - ed____ trea - sure; while the lov - er's____ still I ad -

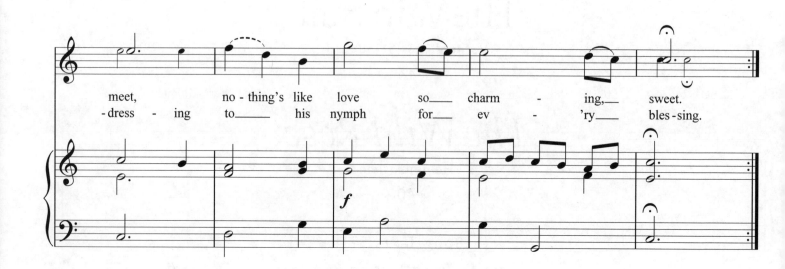

meet, no - thing's like love so____ charm - ing,____ sweet.
-dress - ing to____ his nymph for____ ev - 'ry____ bles-sing.

All Nature Sings God's Praises
(Die Ehre Gottes Aus Der Natur)

Music by Ludwig Van Beethoven

Mensch, ihr gött - lich Wort! Wer

trägt der Him - mel un - zähl - ba - re Ster - ne? Wer

führt die Sonn' aus ih - rem Zelt? Sie kömmt und

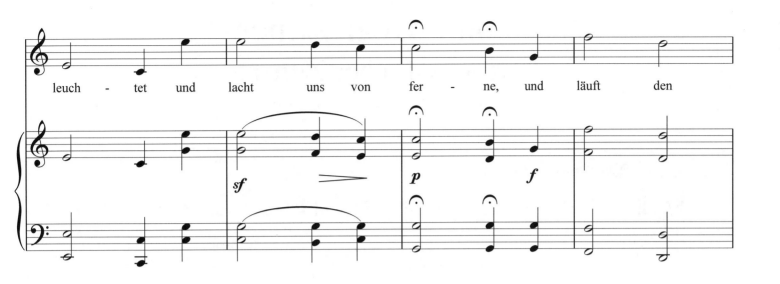

leuch - tet und lacht uns von fer - ne, und läuft den

Weg, gleich als ein Held, und läuft den

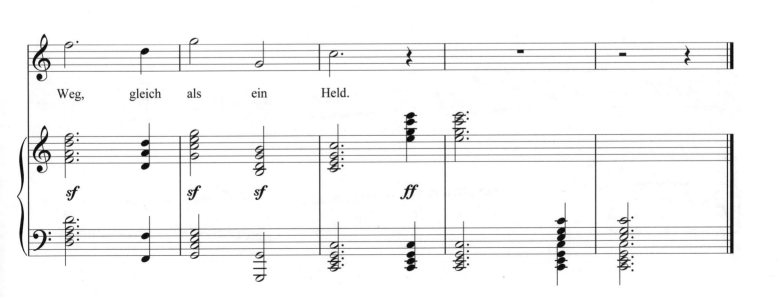

Weg, gleich als ein Held.

Come Dear Zither
(Komm Lieber Zither)

Music by Wolfgang Amadeus Mozart

D.S.

11

Contentment
(Die Zufriedenheit)

Music by Wolfgang Amadeus Mozart

1. Wie sanft,__ wie ru - hig fühl' ich hier des Le - bens Freu - den
2. sehr__ lach ich__ die Gro - ssen aus, die Blut__ ver - gie - sser,

oh - ne Sor - gen! Und son - der__ Ah - nung leuch - tet__ mir will-
Hel - den, Prin - zen! Denn mich__ be - glückt ein klei - nes__ Haus, sie

kom - men je - der Mor - gen. Mein fro - hes, mein_ zu - fried - nes Herz tanzt
nicht_ ein - mal Pro - vin - zen, Wie wü - ten sie_ nicht wi - der sich, die

nach_ der Me - lo - die_ der Hai - - ne! Und
göt - ter glei - chen Herr'n_ der Er - - - den! Doch

an - ge - nehm_ ist selbst_ mein Schmerz, wenn ich_ vor Lie - be_
brau - chen sie_ mehr Raum_ als_ ich, wenn sie_ be - gra - ben_

Fine   D.%

wei - ne.
wer - den?

2. Wie

2. I

13

I Love Thee

Music by Edward Grieg

I love thee more than all else un - der hea - ven, I

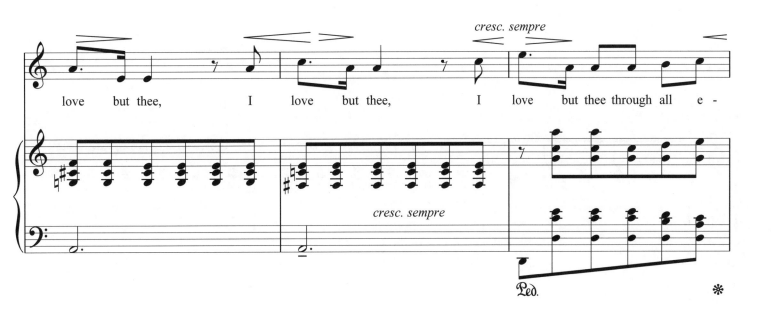

love but thee, I love but thee, I love but thee through all e -

-ter - ni - ty! I love but thee through all e - ter - ni - ty!

2. For thee a - lone my ev - 'ry thought is

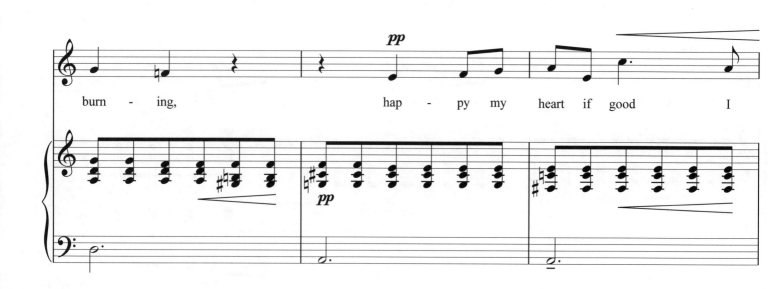

burn - ing, hap - py my heart if good I

bring to thee! Wher - e'er God

wills my path in life be turn - ing, I love but thee, I

love but thee, I love but thee through all e - ter - ni - ty! I

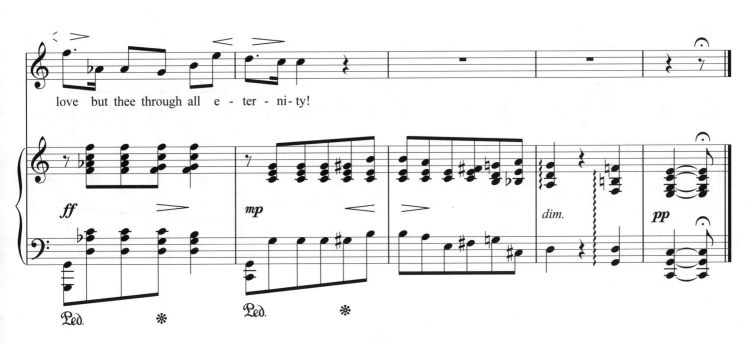

love but thee through all e - ter - ni - ty!

Like To A Linden Tree Am I

Music by Antonin Dvořák

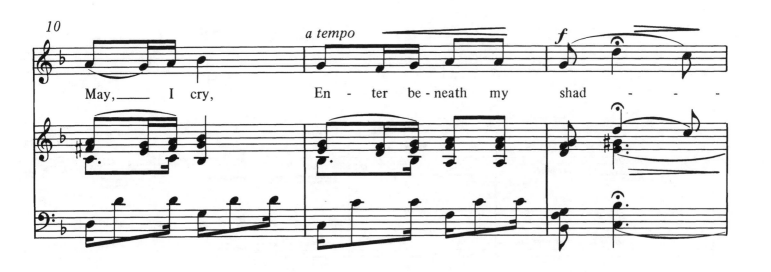

May,___ I cry, En - ter be - neath my shad - - -

- ow. Here ev - 'ry green leaf scents the air,

Here summer wings are hum - ming, Hith - er the birds at eve re - pair,

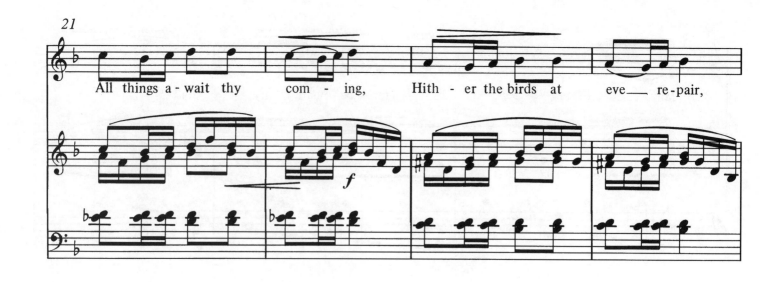

All things a-wait thy com-ing, Hith - er the birds at eve re-pair,

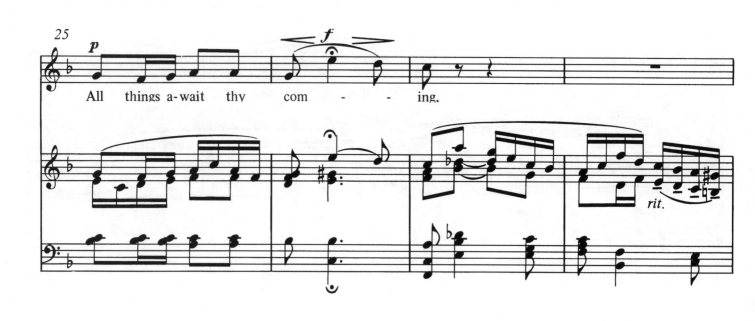

All things a-wait thy com - - ing.

Tempo I

Love un-re-qui-ted oft will roam, Hith - er and thith-er stray - ing,

But if with me thou 'lt make thy home, Here will my heart be stay - ing,

here will my heart be stay - ing.

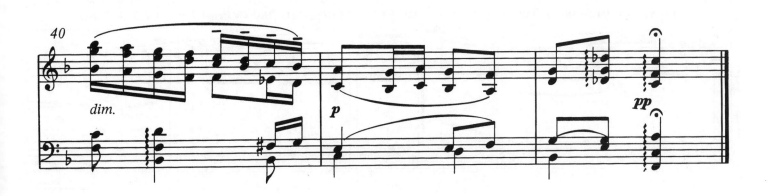

The Little Sandman
(Sandmännchen)

Music by Johannes Brahms

säu - selt wie im Traum.
thut al - lein sich kund.
er ihm in die Au - gen Sand.
Aeu - ge - lein so fromm.

Schla - fe, schla - fe,__ schlaf'

1.
du mein Kin - de - lein!

2.
- lein!

1. 2. 3.   to 𝄋   4.   **Fine**

2.   Die
3.   Sand
4.   Sand

23

Lovers In All Forms
(Liebhaber In Aller Gestalten)

Music by Franz Schubert

wollt' ich wär' ein Fisch, so hur - tig und frisch, I
wollt' ich wär' ein Pferd, da wär'___ ich dir werth, I

p

cresc.

wollt' ich wär' ein Fisch, so hur - tig und frisch.
wollt' ich wär' ein Pferd, da wär'___ ich dir werth.

3.
Ich wollt' ich wäre Gold,
Dir immer im Sold;
Und thätst due was kaufen,
Käm' ich wieder gelaufen.
Ich wollt' ich wäre Gold,
Dir immer im Sold.

4.
Ich wollt' ich wär' treu,
Mein Liebchen stets neu;
Ich wollt' mich verheissen,
Wollt' nimmer verreisen.
Ich wollt' ich wär' treu,
Mein Liebchen stets neu.

5.
Ich wollt' ich wär' alt
Und runzlig und kalt;
Thätst du mir's versagen,
Da könnt' mich's nicht plagen.
Ich wollt' ich wär' alt
Und runzling und kalt.

6.
Wär' ich Affe sogleich,
Voll neckender Streich';
Hätt' was dich verdrossen,
So macht' ich dir Possen.
Wär' ich Affe sogleich,
Voll neckender Streich',

7.
Wär' ich gut wie ein Schaf,
Wie der Löwe so brav;
Hätt' Augen wie's Lüchschen,
Und Listen wie's Füchschen.
Wär' ich gut wie en Schaf,
Wie der Löwe so brav.

8.
Was alles ich wär',
Das gönnt' ich dier sehr;
Mir fürstlichen Gaben
Du solltest mich haben.
Was alles sich wär',
Das gönnt' ich dir sehr.

9.
Doch bin ich wie ich bin,
Und nimm' mich nur hin!
Willst du bess're besitzen,
So lass dir sie schnitzen.
Ich bin nun wie ich bin,
So nimm' mich nur hin!

Margaret's Cradle Song

Music by Edward Grieg

up - ward to the light, and there with shin - ing an - gels he

takes his hap - py flight. So thro' the long night slum - ber the

an - gels watch thee true; God guard thee, lit - tle Haa - kon, thy

mo - ther watch - es too.

Oh, No Longer Try To Wound Me
(O Cessate Di Piagarmi)

Music by Alessandro Scarlatti

13

più del mar - mi	Fred - de e sor - de a' miei mar - tir,	Fred - de e sor - de a'
ri - sa - nar - mi,	E go - de - te al mio lan - guir,	E go - de - te al
so freeze me,____	Or re - ject me so ut - ter - ly,	Or re - ject me so
grief and tor - ment,	But you smile at my mi - se - ry,	But you smile at my

mp

17

mf >

miei mar - tir. }	O ces - sa - te di pia - gar - mi,	O la - scia - te -
mio lan - guir. }	O, no lon - ger try to wound me,	Or leave me and
ut - ter - ly. }		
mi - se - ry. }		

mf

21

p

-mi mo - rir,	O la - scia - te - mi mo - rir.	
let me die,	Or leave me and let me die.	

p

29

Sailor's Song

Music by Joseph Haydn

fear - less of___ the___ rush - ing blast, he care - less whis - tles to___ the___ gale.

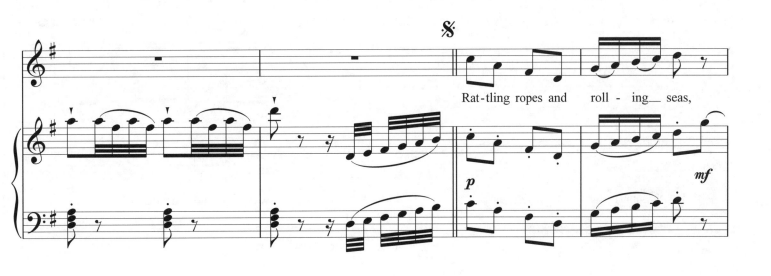

Rat - tling ropes and roll - ing___ seas,

Hur - ly bur - ly, hur - ly bur - ly,

war nor death,

can him dis - please, can him dis -

please.

Hur - ly bur - ly,

hur - ly

bur - ly, hur - ly bur - ly, hur - ly bur - ly,

war nor death,

can him dis - please, can him dis - please, can him dis - please.

The hos-tile foe_ his_ ves-sel seeks, high bound-ing o'er_ the_ rag-ing_ main; the roar-ing can - non_ loud-ly speaks, 'tis Bri-tain's glo-ry we_ main-tain, 'tis Bri-tain's glo - - - ry we_ main-tain.

33

The Spinstress
(Die Kleine Spinnerin)

Music by Franz Schubert

1. Was spinnst du? frag - te Nach - bars Fritz, als er uns jüngst be - such - te; dein Räd - chen läuft ja wie der Blitz, sag' an, wo - zu dies fruch - te; komm lie - ber___ her in un - ser___ Spiel! "Herr

Fritz, das lass' ich blei - ben; ich kann mir,— wenn— er's— wis - sen will, so auch die Zeit ver -

- trei - ben, so auch die Zeit ver - trei - ben."

Was hätt' ich auch von euch, ihr Herr'n? man kennt ja eu - re

Wei - se: Ihr neckt und scherzt und dreht euch gern mit Mäd-chen um im Krei - se, er -

hitzt ihr___ Blut, macht ihr Ge - fühl in al - len A - dern re - ge, und

treibt, so___ bunt___ ihr___ könnt, das Spiel, dann geht ihr eu - rer We - ge, dann

geht ihr eu - rer We - ge.

Schier ist's, als wä - ren in der Welt zum Spa - sse nur die Mäd - chen. D'rum

geht und spasst, wo's euch ge - fällt, ich lo - be mir mein Räd - chen. Geht!

Eu - re Wei - se ist kein nütz. Wenn ich soll Sei - de spin - nen, so will ich, merk' er

sich's, Herr Fritz, nicht Werg da - bei ge - win - nen, nicht Werg da - bei ge - win - nen.

To The Lute
(An Die Laute)

Music by Franz Schubert

Etwas geschwind.-rather quickly

1. Lei - ser, lei - ser, klei - ne Lau - te,
2. Nei - disch sind des Nach - bars Söh - ne,

flü - stre, was ich dir ver - trau - te, dort zu je - nem
und im Fen - ster je - ner Schö - ne flim - mert noch ein

The Wild Rose
(Heidenröslein)

Music by Franz Schubert

a tempo

Rös - lein auf der Hei - den.

2. Kna - be sprach: ich bre - che dich, Rös - lein auf der Hei - den,

pp

Rös - lein sprach: ich ste - che dich, dass du e - wig denkst an mich,

und ich will's nicht lei - den. Rös - lein, Rös - lein, Rös - lein roth,

cresc.

pp

Rös - lein auf der Hei - den.

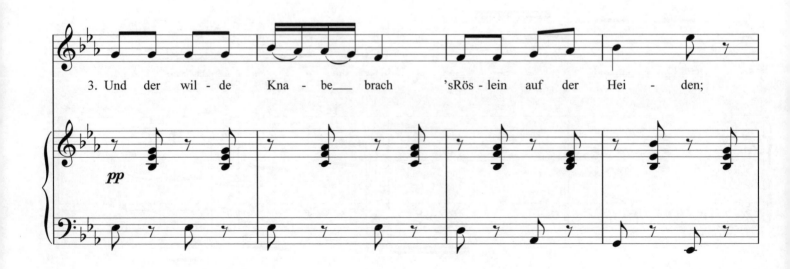

3. Und der wil - de Kna - be brach 'sRös - lein auf der Hei - den;

pp

Rös - lein wehr - te sich_ und_ stach, half ihm doch kein Weh_ und_ Ach,

rit.

musst es_ e - ben_ lei - den. Rös - lein, Rös - lein, Rös - lein_ roth,

cresc. *pp*

a tempo

Rös - lein auf der Hei - den.

The Vain Suit
(Vergebliches Ständchen)

Music by Johannes Brahms

mach' mir auf die Thür, mach' mir auf, mach' mir auf, mach' mir auf___ die

Thür! (Sie) Mein' Thür___ ist ver - schlos - sen, ich

lass'___ dich nicht ein, ich lass'___ dich nicht

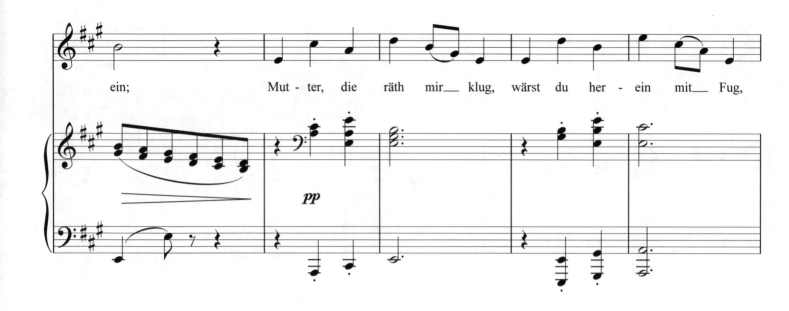

ein; Mut - ter, die räth mir klug, wärst du her - ein mit Fug,

wär's mit mir vor - bei, wär's mit mir, wär's mit mir, wär's mit mir vor -

bei! (Er) So kalt ist die Nacht, so

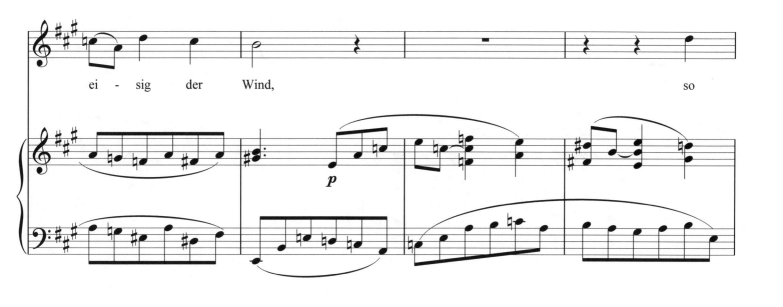

ei - sig der Wind, so

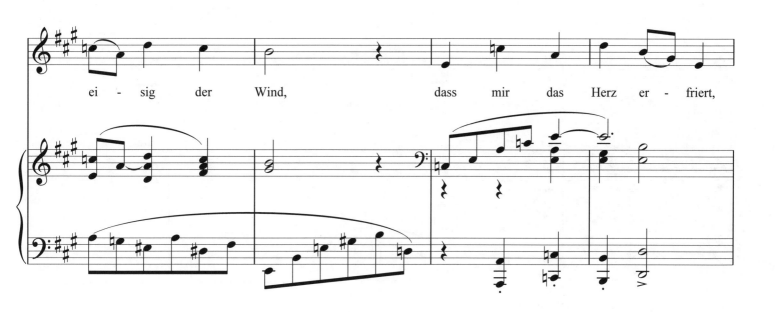

ei - sig der Wind, dass mir das Herz er - friert,

mein' Lieb' er - lö - schen wird, öff - ne mir, mein Kind,

Faster

öff - ne mir, öff - ne mir, öff - ne mir___ mein Kind!

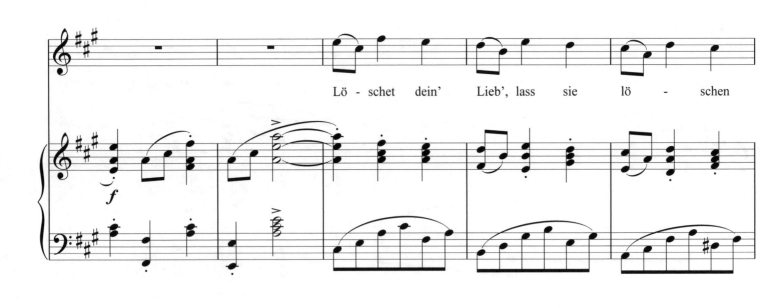

Lö - schet dein' Lieb', lass sie lö - schen

nur, lass sie lö - schen nur,

Lö - schet sie im - mer_ zu, geh' heim zu Bett, zur_ Ruh, gu - te Nacht, mein

Knab', gu - te Nacht, gu - te Nacht, gu - te Nacht, mein

Knab'!

To Sylvia
(An Sylvia)

Music by Franz Schubert

Mässig ♩ = 120

pp

1. Was ist Syl - via,

sa - - get an,____ dass sie die wei - te

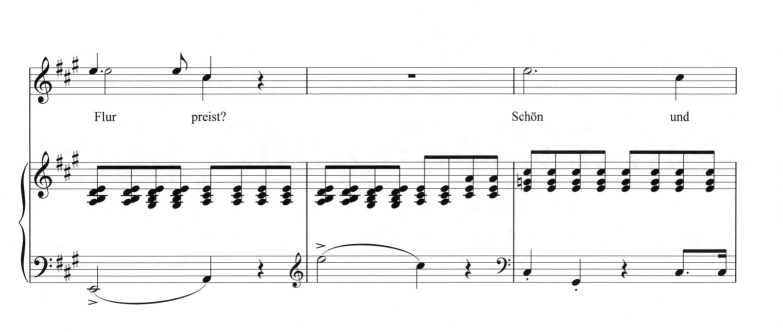

Flur preist? Schön und

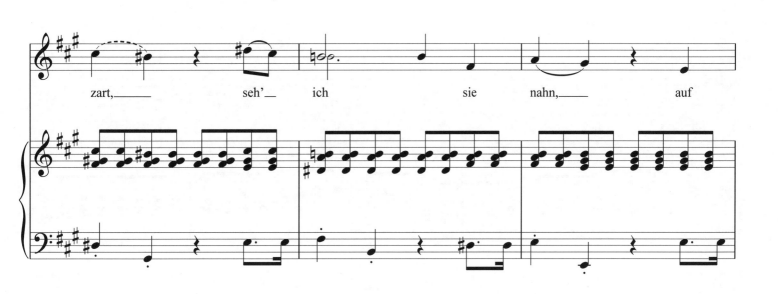

zart,_____ seh'_ ich sie nahn,_____ auf

Him - mels Gunst und Spur_____ weist,

dass ihr___ Al - les un - ter - than,___

dass ihr Al - les un - ter - than.

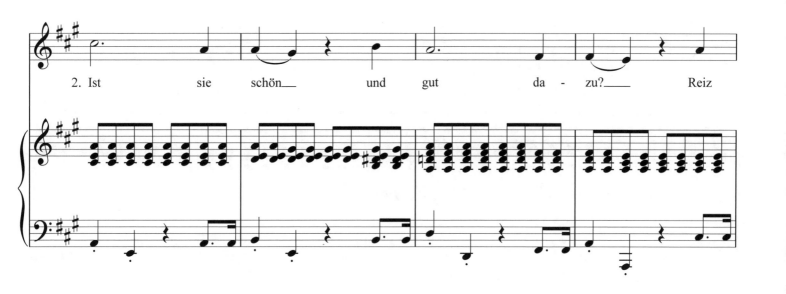

2. Ist sie schön und gut da - zu? Reiz

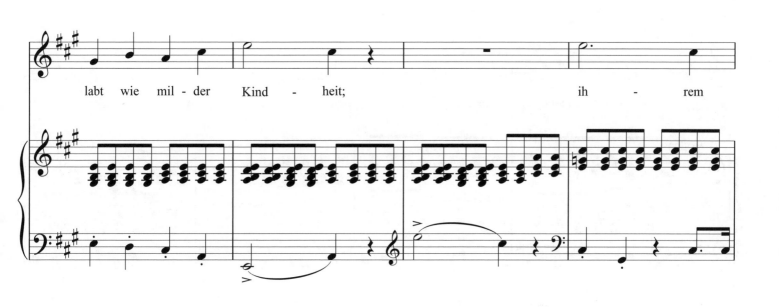

labt wie mil - der Kind - heit; ih - rem

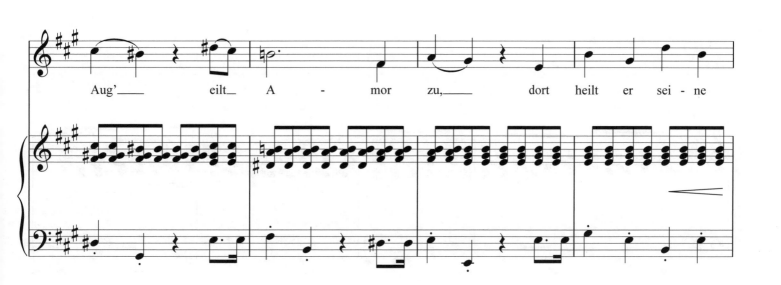

Aug' eilt A - mor zu, dort heilt er sei - ne

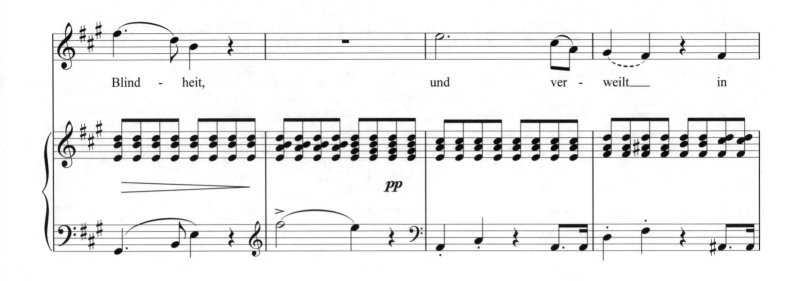

Blind - heit, und ver - weilt in

sü - sser Ruh', und ver - weilt in

sü - sser Ruh'.

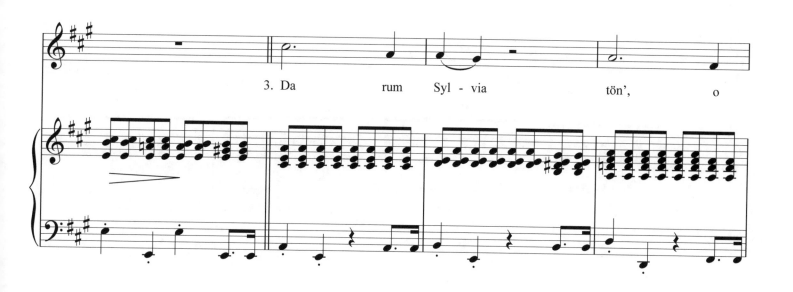

3. Da rum Syl - via tön', o

Sang,— der hol - den Syl - via Eh - ren!

Je - den Reiz be - siegt sie lang,— den

Er - de kann ge - wäh - ren: Krän - ze_

ihr_ und Sai - ten - klang,_ Krän - ze_

ihr und Sai - - ten - klang!

Song Texts

Henry Purcell (1659–1695)
Ah, How Pleasant!

Ah! How pleasant 'tis to love,
Every moment does improve;
Joys surprising now I meet,
Nothing's like love, so charming, sweet.

Some do make a God of pleasure,
Others worship hoarded treasure;
While the lover's still addressing
To the nymph for every blessing.

Ludwig van Beethoven (1770–1827)
Die Ehre Gottes Aus Der Natur
All Nature Sings God's Praises

Die Himmel rühmen des Ewigen Ehre,
Ihr Schall pflanzt seinen Namen fort.
Ihn rühmt der Erdkreis,
Ihn preisen die Meere;
Vernimm, o Mensch, ihr göttlich Wort!

Wer trägt der Himmel unzahlbare Sterne?
Wer führt die Sonn' aus ihrem Zelt?
Sie kömmt und leuchtet
Und lacht uns von ferne,
Und läuft den Weg,
Gleich als ein Held,

Wolfgang Amadeus Mozart (1756–1791)
Komm Lieber Zither
Come, Dear Zither

Komm, lieber Zither, komm,
Du Freundin stiller Liebe,
Du sollst auch meine Frendin sein.
Komm, dir vertrau' ich
Die geheimsten meiner Treibe,
Nur dir vertrau' ich meine Pein,
Nur dir vertrau' ich meine Pein.

Sag' ihr an meiner Statt,
Ich darf's ihr noch nicht sagen,
Wie ihr so ganz mein Herz gehört.
Sag' ihr an meiner Statt,
Ich darf's ihr noch nicht klagen,
Wie sich für sie mein Herz verzehrt,
Wie sich für sie mein Herz verzehrt.

Wolfgang Amadeus Mozart (1756–1791)
Die Zufriendenheit
Contentment

Wie sanft, wie ruhig fühl' ich hier
Des Lebens Freuden ohne Sorgen!
Und sonder Ahnung leuchtet mir
Willkommenn jeder Morgen.
Mein frohes, mein zufriednes Herz,
Tanzt nach der Melodie der Haine!
Und angenehm ist selbst mein Schmerz,
Wenn ich vor Liebe weine.

Wie sehr lach ich die Grossen aus,
Die Blut vergiesser Helden, Prinzen!
Denn mich beglückt ein kleines Haus,
Sie nicht einmal Provinzen,
Wie wüten sie nicht wider sich,
Die götter gleichen Herr'n der Erden!
Doch brauchen sie mehr Raum als ich,
Wenn sie begraben werden?

Edward Grieg (1843–1907)
I Love Thee

My thought of thoughts my very inmost being,
Thou only art my heart's felicity!
I love thee more than all else under heaven,
I love but thee,
I love but thee,
I love but thee thro' all eternity!

For thee alone my ev'ry thought is burning,
Happy my heart if good I bring to thee!
Wheree'er God wills my path in life be turning,
I love but thee,
I love but thee,
I love but thee thro' all eternity!

Anton Dvořák (1841–1904)
Like To A Linden Tree Am I

Like to a linden tree am I,
Pride of an em'rald meadow,
Come, lovely rose of May, I cry,
Enter beneath my shadow,
Come, lovely rose of May, I cry,
Enter beneath my shadow.

Here ev'ry green leaf scents the air,
Here summer wings are humming,
Hither the birds at eve repair,
All things await thy coming,
Hither the birds at eve repair,
All things await thy coming.

Love unrequited oft will roam,
Hither and thither straying,
But if with me thou'lt make thy home,
Here will my heart be staying,
Here will my heart be staying.

Johannes Brahms (1833–1897)
Sandmännchen
The Little Sandman

Die Blümelein sie schlafen
Schon längst im Mondenschein,
Sie nicken mit den Köpfen
Auf ihren Stengelein.

Es rüttelt sich der Blütenbaum,
Es säuselt wie im Traum:
Schlafe, schlafe, schlaf du, meine Kindelein!

Das Heimchen in dem Ährengrund,
Es tut allein sich kund:
Schlafe, schlafe, schlaf du, meine Kindelein!

Und wo es nur ein Kindchen fand,
Streut er ihm in die Augen Sand.
Schlafe, schlafe, schlaf du, meine Kindelein!

Es leuchtet morgen mir Willkomm
Das Äugelein so fromm!
Schlafe, schlafe, schlaf du, meine Kindelein!

Die Vögelein sie sangen
So süß im Sonnenschein,
Sie sind zur Ruh gegangen
In ihre Nestchen klein.

Es rüttelt sich der Blütenbaum,
Es säuselt wie im Traum:
Schlafe, schlafe, schlaf du, meine Kindelein!

Das Heimchen in dem Ährengrund,
Es tut allein sich kund:
Schlafe, schlafe, schlaf du, meine Kindelein!

Und wo es nur ein Kindchen fand,
Streut er ihm in die Augen Sand.
Schlafe, schlafe, schlaf du, meine Kindelein!

Es leuchtet morgen mir Willkomm
Das Äugelein so fromm!
Schlafe, schlafe, schlaf du, meine Kindelein!

Sandmännchen kommt geschlichen
Und guckt durchs Fensterlein,
Ob irgend noch ein Liebchen
Nicht mag zu Bette sein.

Es rüttelt sich der Blütenbaum,
Es säuselt wie im Traum:
Schlafe, schlafe, schlaf du, meine Kindelein!

Das Heimchen in dem Ährengrund,
Es tut allein sich kund:
Schlafe, schlafe, schlaf du, meine Kindelein!

Und wo es nur ein Kindchen fand,
Streut er ihm in die Augen Sand.
Schlafe, schlafe, schlaf du, meine Kindelein!

Es leuchtet morgen mir Willkomm
Das Äugelein so fromm!
Schlafe, schlafe, schlaf du, meine Kindelein!

Sandmännchen aus den Zimmer,
Es schläft mein Herzchen fein,
Es ist gar fest verschlossen
Schon sein Guck äugelein.

Es rüttelt sich der Blütenbaum,
Es säuselt wie im Traum:
Schlafe, schlafe, schlaf du, meine Kindelein!

Das Heimchen in dem Ährengrund,
Es tut allein sich kund:
Schlafe, schlafe, schlaf du, meine Kindelein!

Und wo es nur ein Kindchen fand,
Streut er ihm in die Augen Sand.
Schlafe, schlafe, schlaf du, meine Kindelein!

Es leuchtet morgen mir Willkomm
Das Äugelein so fromm!
Schlafe, schlafe, schlaf du, meine Kindelein!

Franz Schubert (1797–1828)
Liebhaber In Aller Gestalten
Lovers In All Forms

Ich wollt' ich wär ein Fisch,
So hurtig und frisch;
Und kämst du zu angeln,
Ich würde nicht mangeln.
Ich wollt' ich wär ein Fisch,
So hurtig und frisch.

Ich wollt' ich wär' ein Pferd
Da wär' ich dir werth.
O wär ich ein Wagen,
Bequem dich zu tragen.
Ich wollt' ich wär' ein Pferd
Da wär' ich dir werth.

Ich wollt', ich wäre Gold,
Dir immer im Sold;
Und tätst du was kaufen,
Käm ich wieder gelaufen.
Ich wollt', ich wäre Gold,
Dir immer im Sold.

Ich wollt', ich wäre treu,
Meine Liebchen stets neu;
Ich wollt' mich verheissen,
Wollt' nimmer verreisen.
Ich wollt', ich wäre treu,
Meine Liebchen stets neu.

Ich wollt', ich wäre alt
Und runzlig und kalt;
Tätst du mir's versagen,
Da könnt mich's nicht plagen.
Ich wollt', ich wäre alt
Und runzlig und kalt.

Wär' ich Affe sogleich
Voll neckender Streich,
Hätt' was dich verdrossen,
So macht ich dir Possen.
Wär' ich Affe sogleich
Voll neckender Streich.

Wär' ich gut wie ein Schaf,
Wie der Löwe so brav;
Hätt' Augen wie's Lüchschen
Und Listen wie's Füchschen.
Wär' ich gut wie ein Schaf,
Wie der Löwe so brav.

Was alles ich wär',
Das gönnt ich dir sehr;
Mit fürstlichen Gaben,
Du solltest mich haben.
Was alles ich wär',
Das gönnt ich dir sehr.

Doch bin ich, wie ich bin,
Und nimm mich nur hin!
Willst du beß're besitzen,
So laß sie dir schnitzen.
Doch bin ich, wie ich bin,
Und nimm mich nur hin!

Edward Grieg (1843–1907)
Margaret's Cradle Song

The lowly cottage rafters
Seem vaulted to the skies;
On wings of dream outspreading
My little Haakon flies.
For him a golden pathway
Leads upward to the light,
And there with shining angels
He takes his happy flight.
So thro' the long night slumber
The angels watch thee true;
God guard thee, little Haakon
Thy mother watches too.

Alessandro Scarlatti (1660–1725)
O Cessate Di Piagarmi
Oh, No Longer Try To Wound Me

O cessate di piagarmi,
O lasciatemi morir.
Luc'ingrate, di spietate,
Piu di gelo e piu del marmi
Fredde e sorde a' miei martir.
O cessate di piagarmi,
O lasciatemi morir.

Piu d'un angue, piu d'un aspe
Crudi e sordi a miei sospir.
Occhi alteri ciechi e fieri
Voi potete risanarmi,
E godete al mio languir.
O cessate di piagarmi,
O lasciatemi morir.

Joseph Haydn (1732–1804)
Sailor's Song

High on the giddy bending mast
The seaman furls the rending sail,
And, fearless of the rushing blast,
He careless whistles to the gale.

Rattling ropes and rolling seas,
Hurlyburly, hurlyburly,
War nor death can him displease.

The hostile foe his vessel seeks,
High bounding o'er the raging main,
The roaring cannon loudly speaks,
Tis Britain's glory we maintain.

Rattling ropes and rolling seas,
Hurlyburly, hurlyburly,
War nor death can him displease.

Wolfgang Amadeus Mozart (1756–1791)
Die Kleine Spinnerin
The Spinstress

"Was spinnst du?" fragte Nachbars Fritz,
Als er uns jüngst besuchte.
"Dein Rädchen läuft ja wie der Blitz,
Sag an, wozu dies fruchte;
Komm lieber her in unser Spiel!"
Herr Fritz, das laß ich bleiben,
Ich kann mir, wenn er's wissen will,
So auch die Zeit vertreiben.

Was hätt' ich auch von euch, ihr Herrn?
Man kennt ja eure Weise,
Ihr neckt und scherzt und dreht euch gern
Mit Mädchen um im Kreise,
Erhitzt ihr Blut, macht ihr Gefühl
In allen Adern rege,
Und treibt, so bunt ihr könnt, das Spiel,
Dann geht ihr eurer Wege!

Schier ist's, als wären in der Welt
Zum Spaße nur die Mädchen.
Drum geht und spaßt, wo's euch gefällt,
Ich lobe mir mein Rädchen.
Geht, eure Weise ist kein nütz!
Wenn ich soll Seide spinnen,
So will ich, merk's er sich!, Herr Fritz,
Nicht Werg dabei gewinnen.

Franz Schubert (1797–1828)
An Sylvia
To Sylvia

Was ist Sylvia, saget an,
Daß sie die weite Flur preist?
Schön und zart seh ich sie nahn,
Auf Himmelsgunst und Spur weist,
Daß ihr alles untertan.

Is sie schön und gut dazu?
Reiz labt wie milde Kindheit;
Ihrem Aug' eilt Amor zu,
Dort heilt er seine Blindheit
Und verweilt in süßer Ruh.

Darum Silvia, tön, o Sang,
Der holden Silvia Ehren;
Jeden Reiz besiegt sie lang,
Den Erde kann gewähren:
Kränze ihr und Saitenklang!

Franz Schubert (1797–1828)
An Die Laute
To The Lute

Leiser, leiser, kleine Laute,
Flüstre was ich dir vertraute,
Dort zu jenem Fenster hin!
Wie die Wellen sanfter Lüfte,
Mondenglanz und Blumendüfte,
Send es der Gebieterin!

Neidisch sind des Nachbars Söhne,
Und im Fenster jener Schöne
Flimmert noch ein einsam Licht.
Drum noch leiser, kleine Laute;
Dich vernehme die Vertraute,
Nachbarn aber, Nachbarn nicht!

Franz Schubert (1797–1828)
Heidenröslein
The Wild Rose

Sah ein Knab' ein Röslein stehn,
Röslein auf der Heiden,
War so jung und morgenschön,
Lief er schnell, es nah zu sehn,
Sah's mit vielen Freuden.
Röslein, Röslein, Röslein rot,
Röslein auf der Heiden.

Knabe sprach: Ich breche dich,
Röslein auf der Heiden!
Röslein sprach: Ich steche dich,
Daß du ewig denkst an mich,
Und ich will's nicht leiden.
Röslein, Röslein, Röslein rot,
Röslein auf der Heiden.

Und der wilde Knabe brach
'S Röslein auf der Heiden;
Röslein wehrte sich und stach,
Half ihm doch kein Weh und Ach,
Mußt es eben leiden.
Röslein, Röslein, Röslein rot,
Röslein auf der Heiden.

Johannes Brahms (1833–1897)
Vergebliches Ständchen
The Vain Suit

Guten Abend, mein Schatz,
Guten Abend, mein Kind!
Ich komm' aus Lieb' zu dir,
Ach, mach' mir auf die Tür,
Mach' mir auf die Tür!

Meine Tür ist verschlossen,
Ich laß dich nicht ein;
Mutter, die rät' mir klug,
Wärst du herein mit Fug,
Wär's mit mir vorbei!

So kalt ist die Nacht,
So eisig der Wind,
Daß mir das Herz erfriert,
Mein' Lieb' erlöschen wird;
Öffne mir, mein Kind!

Löschet dein' Lieb';
Lass' sie löschen nur!
Löschet sie immerzu,
Geh' heim zu Bett, zur Ruh'!
Gute Nacht, mein Knab'!

CD Track Listing

1. Ah, How Pleasant!

2. *All Nature Sings God's Praises*
Die Ehre Gottes Aus Der Natur

3. Come Dear Zither
Komm Lieber Zither

4. *Contentment*
Die Zufriedenheit

5. I Love Thee

6. *Like To A Linden Tree Am I*

7. The Little Sandman
Sandmännchen

8. *Lovers In All Forms*
Liebhaber In Aller Gestalten

9. Margaret's Cradle Song

10. *Oh, No Longer Try To Wound Me*
O Cessate Di Piagarmi

11. Sailor's Song

12. *The Spinstress*
Die Kleine Spinnerin

13. To The Lute
An Die Laute

14. *The Wild Rose*
Heidenröslein

15. The Vain Suit
Vergebliches Ständchen

16. *To Sylvia*
An Sylvia